PRESIDENTE DE LA CLASE

PRESIDENTE DE LA CLASE

por Johanna Hurwitz

Ilustraciones de Sheila Hamanaka

Ilustración de la portada de John Rosato

SCHOLASTIC INC.

New York   Toronto   London   Auckland   Sydney

Class President/Presidente de la clase

Text copyright © 1990 by Johanna Hurwitz.
Illustrations copyright © 1990 by Sheila Hamanaka.
Spanish translation copyright © 1993 by Scholastic Inc.
All rights reserved.
Published by Scholastic Inc., 730 Broadway, New York, NY 10003,
by arrangement with William Morrow and Company, Inc.

Printed in the U.S.A.
ISBN 0-590-47399-9
ISBN 0-590-29192-0 (meets NASTA specifications)

7 8 9 10   40   23/0

★ ★

A Delia y Bill Gottlieb

¡Cuenten con mi voto . . . siempre!

★ ★ ÍNDICE

★ 1 ★
¿QUIÉN ES JULIO?

Julio Sánchez llegó a la escuela a toda carrera. Aunque nunca lo admitiría en voz alta, tenía muchas ganas de volver a clases. Hoy era su primer día de quinto grado. A Julio le gustaba estar con chicos de su edad. Era una pena que ir a la escuela también quería decir estudiar aritmética y estudios sociales.

Fue un verano largo, caluroso y aburrido. Julio extrañó a sus amigos y muchas veces se preguntó si alguien también lo extrañaría a él. En algunos momentos deseó ser mayor para poder conseguir un trabajo de verano, como sus hermanos Ramón y Nelson. Cuando su mamá y sus hermanos se iban a trabajar, Julio y su abuelita se quedaban en la casa viendo programas viejos de televisión. Su abuelita tenía artritis y en realidad no podía ayudar mucho en la cocina, así que Julio casi siempre se preparaba su propio almuerzo.

Aunque la aritmética no era una de sus materias favoritas, Julio sumó sus almuerzos de los meses de julio y agosto: 17 frascos de mantequilla de maní y 248 rebanadas de pan para un total de 124 emparedados. ¡Qué asco!

A Julio le gustaba la variedad de almuerzos que servían en el comedor escolar, pero eso era algo que tampoco admitiría en voz alta. Se supone que todo el mundo odia la comida del comedor, o por lo menos, al igual que Julio, hay que decir que es horrible.

En la esquina frente a la escuela estaba uno de los alumnos de la Patrulla Escolar. Los dos hermanos de Julio habían sido patrulleros y él esperaba con ilusión el día en que, una vez en sexto grado, también pudiera llevar la banda azul con la insignia plateada de la Patrulla

Escolar de Seguridad.

Al llegar al patio de la escuela, Julio se tocó la cabeza. Su nuevo corte de pelo era igual al de su hermano Nelson...pero los pelos no se le querían quedar de punta, como se los había peinado. De todas formas, Julio esperaba que su nuevo corte de pelo llamara la atención.

En el patio había chicos y chicas por todas partes. Por supuesto, nadie llega tarde el primer día de clases. Julio rápidamente encontró a sus amigos Lucas Cott, Arthur Lewis, Sara Jane Cushman, Cricket Kaufman y Zoe Mitchell. Todos estaban reunidos en grupo, hablando.

—Hola. ¡Chócala! —dijo Julio, levantando la mano para saludar a Lucas con una palmada. Los dos chicos eran viejos amigos aunque apenas se vieron durante el verano. Lucas estuvo un mes de campamento y luego se fue de viaje con su familia.

Lucas y Julio chocaron las palmas para saludarse.—¿Sabes la última noticia? —preguntó Lucas.

—Yo acabo de llegar —contestó Julio.

—La Señora Upchurch ya no está en la escuela —dijo Cricket antes de que Lucas pudiera abrir la boca.

El último día de clases del cuarto grado, les anunciaron que la Sra. Upchurch sería su maestra en quinto grado.

—¿O sea que la doña *Upchuck* no va a ser nuestra maestra? —preguntó Julio.

—¿Cómo sabes que no está aquí? —preguntó Sara Jane Cushman, y añadió—: Todos los maestros y maestras están dentro del edificio. Sólo los estudiantes estamos en el patio.

—Yo escuché la conversación de dos maestras —dijo Cricket—.

Una dijo: "Voy a extrañar a Shirley" y la otra contestó: "Qué pena que no le diéramos una fiesta de despedida en junio". El nombre de Sra. Upchurch es Shirley, así que eso prueba que estaban hablando de ella.

—Quizás consiguió un trabajo mejor que éste —dijo Lucas.

—Cualquier cosa es mejor que estar aquí —dijo Julio, haciéndose el que no le gustaba la escuela.

Antes de que pudieran seguir hablando de lo que oyó Cricket, sonó la campana. Era la señal para ponerse en fila. Como era el primer día de clases, todos obedecieron la señal inmediatamente. De seguro que mañana no habría tanto entusiasmo por entrar a los salones; la emoción del primer día de clases se pasa pronto.

Los patrulleros del sexto grado les indicaron a los niños menores dónde debían formar fila. Los de quinto grado no necesitaban patrulleros. El año próximo, *ellos* llevarían la banda azul y darían las órdenes. No todos los alumnos de quinto querían ser patrulleros, pero Julio siempre había querido serlo, desde antes de empezar el kinder, cuando su hermano Nelson era patrullero de la escuela.

Al sonar la segunda campana, los patrulleros dieron las instrucciones para entrar al edificio: las filas deberían entrar al edificio por orden alfabético, según el nombre de su maestra. Los grupos de quinto grado de la Sra. Gordon y la Sra. Hershey entraron, seguidos por el grupo de la Sra. Upchurch.

"Tendría gracia si después de todo la Sra. Upchurch estuviera adentro", pensó Julio para sus adentros; pero en lugar de la Sra. Upchurch, había alguien que nunca antes había visto. ¡Era un maestro, un hombre! Él siempre había tenido maestras y los únicos hombres de la escuela eran el Sr. Herbertson, que era el director, y el Sr. Conners, el conserje. Julio pensó: "Ojalá que este maestro no sea como el Sr. Herbertson; si no, estamos perdidos."

—Buenos días. Me llamo Ernesto Flores y yo seré su maestro de quinto grado —dijo el nuevo maestro, dirigiéndose al grupo.

Julio nunca había oído a ninguna de sus maestras anteriores decir su nombre. Sólo les daban su apellido. Aunque, por supuesto, los estudiantes siempre averiguaban los nombres: Joyce Hockaday, Augusta Schraalenburg, Shirley Upchurch. La diferencia era que ellos tenían que descubrir el nombre por sí mismos; el maestro nuevo había arruinado su juego.

—Ahora me gustaría conocerlos a ustedes —dijo el Sr. Flores y comenzó a pasar lista, llamando a los niños primero.

Julio movió la cabeza de un lado a otro; las otras maestras *siempre* empezaban con las niñas.

—Julio Sánchez —dijo el Sr. Flores, pronunciando su nombre con *J* fuerte, que era la manera correcta en español.

Algunos de los chicos se rieron. Nunca habían oído pronunciar el nombre de Julio así.

El Sr. Flores alzó la cabeza de la lista y dirigiéndose a Julio le preguntó: —¿No es así como pronuncias tu nombre? ¿O prefieres Julio con una J más suave?

Julio, encogiéndose de hombros contestó: —En casa me llaman "Julio" pero en la escuela, como todo el mundo habla inglés, me dicen "Gulio".

—¿A ti qué te parece eso? ¿Te gustan las dos pronunciaciones? —preguntó el Sr. Flores, y añadió—: Julio es un bonito nombre español y debes sentirte orgulloso de él.

Julio, con una media sonrisa contestó: —Yo sé, pero en realidad no me importa.

—¿Estás seguro? —le preguntó el maestro—. Tu nombre es una parte muy importante de ti mismo.

Julio pensó por un momento.—Está bien —dijo—. De ahora en adelante todos deberán llamarme Julio.

El Sr. Flores sonrió: —Julio es quien eres tú, ese es tu nombre —dijo. Todos se rieron al mismo tiempo.

Cuando el Sr. Flores comenzó a llamar a las niñas, Zoe levantó la mano.—Mi nombre se pronuncia *Zoi* aunque se escribe Zoe —dijo. ¡No quería que el Sr. Flores fuera a cometer un error con su nombre también!

Después de pasar lista, el Sr. Flores habló acerca de lo que iban a estudiar. Julio notó que todos se estaban portando de lo mejor: nadie estaba hablando sin alzar la mano, jugando con ligas elásticas ni masticando chicle.

En estudios sociales iban a estudiar las colonias españolas, francesas, holandesas e inglesas.

—Puerto Rico, el lugar donde yo nací, hace muchos años era una colonia española —dijo Julio levantando la mano, en lugar de hablar sin pedir permiso, como lo hacía en muchas ocasiones.

—Cierto —dijo el Sr. Flores—. Cuando lleguemos a esa parte, nos puedes contar tus recuerdos de Puerto Rico.

Julio movió la cabeza en un gesto negativo y dijo: —Yo vine a los Estados Unidos cuando tenía ocho meses y no me acuerdo de nada.

Todos se rieron.

—Bueno, en ese caso, podrías entrevistar a

tus padres —dijo el Sr. Flores.

Julio asintió con la cabeza y no se molestó en explicar que su papá había muerto. De todas formas, podía entrevistar a su mamá y a su abuela; quizás Ramón y Nelson también podrían ayudarlo. A Julio le pareció interesante saber más del lugar donde nació.

Julio tuvo que admitir que el Sr. Flores tenía algunas ideas interesantes: iban a escribir libros y a publicarlos en el salón. Y en aritmética, cada estudiante iba a gastar un millón de dólares antes de finales de mes.

Julio dio un silbido y dijo: —¡Un millón de dólares! ¡Oye, eso es un montón de dinero!

—Cierto —dijo el Sr. Flores—, y no va a ser fácil gastarlo.

Todos comenzaron a murmurar y a acercarse al pupitre vecino para contarse en qué iban a gastar el dinero.

—Cálmense —dijo el maestro—. Ya tendrán tiempo para gastar su dinero, pero por ahora no le cuenten a nadie más.

La noticia más importante de todas era que iban a elegir a un compañero o compañera como presidente de la clase.

Julio se enderezó en su asiento. Él sabía que en la escuela superior elegían líderes de cada grado; Julio se lo había oído decir a sus hermanos. ¿Pero elecciones en quinto grado? Eso era completamente nuevo para él. Por un momento, trató de imaginarse como presidente de la clase, pero sabía que eso nunca iba a ocurrir porque él no era alguien especial. ¿Quién votaría por él?

—¿Podemos elegir ahora mismo? —preguntó Cricket.

Julio sabía porqué Cricket quería que la elección fuera inmediatamente: estaba segura de que ganaría.

—No creo que elegir el presidente o la presidenta el primer día de clases sea una buena idea. Esperemos un par de semanas hasta que todos se conozcan mejor —dijo el Sr. Flores.

Julio se rió para sí. Él conocía a todos sus compañeros de clase. De hecho, a algunos los conocía desde que estaban en kinder. Aunque este año Arthur Lewis tenía gafas nuevas, Cricket se había cortado el pelo durante el verano y Sara Jane Cushman ahora tenía frenos en los dientes, todos eran los mismos de siempre.

El único que todavía no conocía a los estudiantes era el Sr. Flores y él ni siquiera iba a votar. Por otro lado, Julio no tenía ninguna prisa en ver a Cricket ocupando el puesto de presidenta. Como él pensaba que no tenía la más mínima oportunidad de ser elegido, intentaría convencer a Lucas de que se postulara como candidato.

A eso de las once de la mañana, Julio comenzó a sentir hambre; a las doce ya estaba muerto de hambre. Con detenimiento había estudiado el menú de septiembre que les repartió el Sr. Flores. Hoy, el primer día de clases, servirían su comida favorita: un buen trozo de pizza de chorizo, ensalada y de postre, gelatina de cereza con crema batida.

Los estudiantes del Sr. Flores se sentaron juntos para hablar de su primera mañana con el nuevo maestro.

—¿Qué te parece el maestro nuevo, Julio? —preguntó Lucas, diciendo "Julio" en español.

—¿Está buena la *j*elatina? —le preguntó Cricket.

—¿Qué tal tu *zumo* de manzana, Sara Jane? —preguntó Zoe.

Todos comenzaron a pensar en palabras en que pudieran cambiar el sonido de la *j* en inglés por el de la *j* en español. Julio no se lo tomó a mal porque sabía que no lo hacían con mala intención. "Más de uno de ellos, si estuviera en mi lugar, se habría puesto a llorar", pensó Julio. Para él en realidad era un juego, variar el sonido de la *j* en inglés por *j* en español.

Todos estaban tan ocupados pensando en palabras con *j* que hasta se olvidaron de la elección. También se les olvidó hablar acerca de su nuevo maestro. De todas formas, seguro que sería igual que las otras maestras; nuevo o viejo, maestro o maestra, todos son iguales al fin y al cabo.

★2★
¿LUCAS PARA PRESIDENTE?

Al salir de la escuela, a las tres de la tarde, Julio caminó con Lucas parte del camino a casa.

—Cricket quiere ser presidenta de la clase —dijo Julio.

—Sí, y presidenta de los Estados Unidos también —contestó Lucas.

Los dos chicos se rieron. Cricket le había dicho a todo el mundo que quería ser la primera presidenta de la nación desde que estaban en tercer grado.

En ese momento Julio deseó que Lucas dijera: "Julio, tú serías un buen presidente"; pero su amigo no dijo nada.

Finalmente Julio dijo: —Yo creo que *tú* deberías ser presidente.

—¿Yo? Yo no quiero ser presidente de los Estados Unidos —dijo Lucas—. Yo quiero ser comisionado de béisbol para poder ir gratis a todos los juegos.

—No me refiero a ser presidente de los Estados Unidos, Lucas. Lo que quiero decir es que debes competir con Cricket; tú serías un buen presidente para nuestra clase —añadió Julio.

Lucas se encogió de hombros.

—Yo te ayudaré a hacer campaña —Julio le prometió a su amigo—. Le diré a todos que voten por ti.

—Lo voy a pensar —dijo Lucas.

—¡Perfecto! —dijo Julio.

Si él no podía ser presidente, por lo menos que lo fuera su mejor amigo, no Cricket.

Julio y Lucas llegaron al punto donde el camino a sus casas se separaba. Al llegar a su casa, Julio oyó el televisor desde la calle. Su abuelita estaba un poco sorda y tenía que subir el volumen para oír lo que decían en la telenovela.

Julio la saludó en español. Él sabía poco español, pero podía entender a su mamá y a su abuelita cuando conversaban. La abuela le indicó que no hiciera ruido porque estaba sucediendo algo importante en la pantalla del televisor. Julio echó una mirada: un hombre estaba besando a una mujer y diciéndole algo al oído. ¡Qué asco!

De tarea, el Sr. Flores les dijo que llevaran revistas y catálogos. "Para que piensen en qué van a gastar su millón de dólares", había dicho el maestro.

La mamá de Julio no recibía catálogos, pero Julio podía llevar revistas. Su mamá era la jefa de camareras en el hotel Sycamore Shade Motor Inn y podía llevarse a casa las cosas que los huéspedes dejaban. La Sra. Sánchez siempre llevaba a casa revistas, dulces y frutas del trabajo.

La abuela de Julio no sabía leer en inglés, pero de todas formas le gustaba mirar las fotos de las revistas. Julio casi nunca miraba las revistas, excepto cuando la abuela le mostraba la foto de una casa lujosa o de un elegante dormitorio que parecía el de una princesa o una estrella de cine.

Esa tarde, Julio buscó en una pila de revistas. En ellas encontró anuncios de los últimos modelos de automóviles. Julio decidió comprarle uno a su mamá con su millón de dólares. Aunque ella no sabía conducir, su hermano Ramón podría enseñarle. También podía comprarle uno a Ramón; su carro era tan viejo que unos días arrancaba y otros no. Entonces decidió comprarle un carro a Nelson también. A Julio le gustaba ser justo.

Cuando Nelson regresó de la escuela —él estaba en la escuela superior— Julio todavía estaba hojeando la revista.

—Tengo un millón de dólares para gastar en la clase de aritmética —le dijo Julio a su hermano.

—¡Qué sueños! —le contestó Nelson.

—Es sólo para la clase de aritmética —le explicó Julio—. Este año tenemos un nuevo maestro, el Sr. Flores. Hoy nos dijo que hiciéramos una lista de todas las cosas que queremos comprar y que las sumáramos. A ti te voy a comprar un carro, ¿De qué color lo quieres?

Nelson se echó a reír.—¡Espera a que se lo diga a mis amigos en la clase de conducir! —dijo.

—Bueno, eso es lo que yo haría si de verdad tuviera un millón de dólares —dijo Julio.

—Gracias —respondió Nelson—, y si yo tuviera un millón de dólares también te compraría un carro, aun cuando no podrías conducirlo hasta que cumplas los dieciséis años. Nelson se quedó pensativo por un momento y añadió —: Gastar dinero de mentira no era lo que hacía cuando estaba en quinto grado. ¿Es que no van a estudiar las fracciones? Se supone que uno aprende fracciones en quinto grado.

Julio se encogió de hombros.—Quizás aprenderemos fracciones después de este proyecto —dijo. Más tarde, Julio pensó para sí mismo: "Espero que el Sr. Flores sepa lo que está haciendo. Quizás, como es nuevo, nos va a enseñar lo que no es".

Durante la cena, la Sra. Sánchez le preguntó a Julio cómo le fue en su primer día de clases.

—Tengo un maestro nuevo —dijo Julio—. Se llama Ernesto Flores.

—¿Ves? —dijo la Sra. Sánchez, dirigiéndose a Ramón—. Tú también podrías ser maestro.

—Ya veremos, mami —contestó Ramón—. Éste es mi primer semestre en la universidad y aún no sé con seguridad qué quiero estudiar.

Julio sabía que su mamá estaba muy orgullosa de que Ramón estuviera tomando cursos en la universidad. Ella siempre se aseguraba de que sus hijos hicieran todas sus tareas y estudiaran para sus exámenes.

Vamos a elegir un presidente en mi clase —dijo Julio—. Cricket quiere ser la presidenta; yo creo que Lucas debe postularse como candidato.

—Quizás *tú* deberías postularte para presidente —dijo la Sra. Sánchez.

—Yo no sería un buen presidente —contestó Julio—. Lucas es muy listo. Él sería magnífico, estoy seguro.

—Tú también eres listo —dijo la Sra. Sánchez—; deberías tener más confianza en ti mismo, hijo.

—Sólo dices eso porque eres mi mamá —contestó Julio masticando el pollo y pensando en las palabras de su mamá.

En ese momento deseó tener el valor de postularse para presidente de la clase.—De todas formas le dije a Lucas que lo ayudaría a hacer su campaña —añadió.

—Dile que has cambiado de parecer —dijo la Sra. Sánchez.

—Pero él es mi amigo. No puedo cambiar de parecer después de prometerle mi ayuda —Julio insistió.

—Si en realidad es tu amigo, Lucas comprenderá —fue la respuesta de su mamá.

Julio se arrepintió de haber mencionado el tema de las elecciones. En lo profundo de su corazón, sabía que la idea de ser presidente de la clase era algo que le atraía. Deseó tener el valor de postularse para presidente.

—Apuesto a que nadie votaría por mí —dijo Julio.

—¿Cómo vas a saberlo si no lo intentas? —le preguntó la abuela, en español.

"Qué raro", pensó Julio. A veces, cuando estaban hablando en inglés, Julio creía que su abuela no entendía nada. Hoy se dio cuenta de que estaba equivocado.

—Abuelita tiene razón —dijo Ramón—.

¿Qué puedes perder?

—Nada más las elecciones —respondió Nelson, en broma.

—Quizás no pierda, quizás gane —dijo Ramón.

—Cuando te elijan presidente, te voy a preparar una cena especial para celebrar —dijo la Sra. Sánchez. Para ella la cuestión ya estaba arreglada; todo lo que su hijo tenía que hacer era postularse y saldría elegido.

Su mamá se veía tan entusiasmada que Julio se sintió mal porque le iba a causar una desilusión. Parecía que ella no se daba cuenta de que no es tan fácil llegar a ser el presidente de la clase. Ella no conocía a Cricket ni a la mayoría de sus compañeros de clase. *Nunca* votarían por él. De seguro que se morirían de risa sólo de pensarlo. Mañana Julio comenzaría a hacerle campaña a Lucas.

★ 3 ★
UN BUEN LIDER

A la mañana siguiente, todos los estudiantes del Sr. Flores estaban atareadísimos discutiendo cómo iban a gastar su millón de dólares. Justo antes de la hora del almuerzo, Cricket levantó la mano para dirigirse al Sr. Flores.—¿Podemos hacer las elecciones hoy? —preguntó. "De seguro que Cricket va a darle la lata al Sr. Flores con esto todos los días", pensó Julio.

—¿Cuál es la prisa? —preguntó el Sr. Flores—
.
Hoy apenas es el segundo día de clases; todavía

tenemos todo un año por delante.

—Ni me lo recuerde —dijo Julio suspirando y en voz baja, aunque lo suficientemente alta para que lo oyeran Lucas y los demás chicos a su alrededor.

—Usted dijo que debíamos esperar a que nos conociéramos mejor —dijo Cricket—, pero nosotros nos conocemos de sobra.

—Ajá —dijeron en coro otros.

—Es cierto que ustedes se conocen mejor de lo que yo los conozco —dijo el Sr. Flores—. Pero dado que ésta es la primera vez que van a tener elecciones en la clase, es posible que no hayan pensado del todo en las cualidades que debe tener un presidente o presidenta.

—Debe ser alguien que le caiga bien a todo el mundo —dijo Arthur.

—Cierto —dijo el Sr. Flores—. Sin embargo, ¿ustedes creen que una elección es un concurso de popularidad? ¿La persona que ocupe la presidencia debe ser la persona más popular del grupo?

—La persona más popular siempre es la que gana las elecciones —dijo Zoe.

—Sí, pero una persona debe ser popular por

buenas razones —añadió el maestro—. ¿Qué otras cualidades debe tener un buen presidente o presidenta?

Nadie respondió. Ni tan siquiera Cricket, que siempre tenía la respuesta correcta para las preguntas más difíciles, supo qué decir.

—¿No debe ser un buen líder? —preguntó el Sr. Flores.

—Pero el maestro es el líder —contestó Cricket.

—Por supuesto —dijo el Sr. Flores—, pero la persona que ustedes elijan debe tener el *potencial* de ser líder, aun cuando el maestro está a cargo del grupo.

—Algunas veces los maestros no vienen —señaló Lucas.

—Ajá, pero en ese caso siempre mandan un substituto —añadió Julio.

En eso sonó la campana del almuerzo.—La votación se llevará a cabo el segundo viernes de septiembre —dijo el Sr. Flores—. Quiero que piensen bien quién es el mejor candidato o la mejor candidata para el puesto. Piensen en alguien que tenga cualidades de liderato, alguien que sepa defender lo que le parece correcto y que sepa ser justo o justa con los demás. Piensen en alguien que se preocupe por todos sus compañeros de clase y no sólo por sus mejores amigos.

Julio le echó una mirada a Cricket. Ella era lista y hablaba mucho en la clase. Probablemente sería una presidenta aceptable, pero él no creía que a Cricket le importara nadie más que ella misma y sus amigas. "El Sr. Flores tiene razón", pensó Julio camino al comedor. También se preguntó si él tenía las cualidades necesarias para ser un buen líder.

El almuerzo ese día era otra de las comidas favoritas de Julio: un perro caliente, papas fritas, ensalada de repollo y galletas de avena con pasas.

Cricket miró alrededor de la mesa y dirigiéndose a todos dijo: —Ustedes *saben* que si votan por mí, tendrán una presidenta *inteligente*.

—Zoe también es inteligente —dijo Sara Jane.

—Pero yo no quiero ser presidenta —contestó Zoe—. Yo voy a votar por Cricket.

—Lucas también va a ser candidato —anunció Julio.

—¿Es cierto? —preguntó Cricket a Lucas.

—Es posible —contestó Lucas.

—Yo voy a ser el director de su campaña electoral —dijo Julio.

—Entonces seguro perderá —dijo Cricket.

—¿Ya terminaste de comer? —Lucas le preguntó a Julio—. Vamos a jugar al fútbol. Las elecciones no son hoy, todavía hay tiempo.

Julio se chupó la mostaza de los dedos y recogió su bandeja.—Ya voy —le dijo a su amigo. Definitivamente el fútbol era mucho más importante que las elecciones.

Una vez en el patio, los niños rápidamente se dividieron en equipos. Algunas veces las niñas también jugaban al fútbol; otras veces saltaban a la cuerda. Julio era el mejor jugador y lo eligieron capitán de uno de los equipos. Todos querían estar en su equipo. Durante el recreo, Julio era el líder, pero eso cambiaba cuando regresaban al salón de clases.

Arthur Lewis se quedó parado en una esquina, mirando a sus compañeros. Él no era muy rápido y jamás había anotado un gol. Arthur se sorprendió y se sintió muy agradecido cuando Julio lo escogió para su equipo.

Julio pateó el balón e inmediatamente anotó un gol.—¡Eso es, Julio! —gritó Zoe Mitchel.

Julio escuchó un ruido detrás de él. Cuando se dio la vuelta, vio que Arthur Lewis estaba en el suelo. Los otros chicos siguieron corriendo y jugando mientras Arthur se levantaba lentamente.

—¿Dónde están mis lentes? —preguntó Arthur. Julio vio los lentes en el suelo y justo cuando los iba a recoger, el balón les cayó encima y rompió el marco en dos. Uno de los cristales también se rompió.

De repente, todos dejaron de jugar y se reunieron alrededor de Arthur para ver qué había pasado.

—Están rotos, Arthur —dijo Julio, mientras recogía los lentes para dárselos.

—¡Mis lentes nuevos! Estos lentes costaron un montón de dinero y se supone que son irrompibles —dijo Arthur, y con lágrimas en los ojos añadió—: Mi mamá se va a enojar.

—Llorón, llorón —alguien gritó.

—No está llorando —dijo Julio—, tiene los ojos aguados porque, sin lentes, tiene que esforzarlos para ver.

Julio le echó el brazo por encima de los hombros a Arthur y le dijo: —No te preocupes, vamos a hacer una colecta y te ayudaremos a pagar por tus lentes nuevos.

—Olvídate de eso —dijo uno de los niños—. Sólo porque Arthur se cae todo el tiempo, eso no quiere decir que tengamos que pagar por sus lentes.

—¿Quién fue el último en patear el balón? —preguntó otro niño.

—Eso no es lo que importa —dijo Julio—. Todos estábamos jugando cuando ocurrió, así que todos debemos cooperar; es lo justo.

—Es mucho dinero —dijo Arthur—. No creo que ustedes tengan suficiente para mis lentes.

—No te preocupes, ya encontraremos la forma —dijo Julio mientras rebuscaba en sus bolsillos. Él tenía una moneda de veinticinco centavos y dos monedas de a centavo.

—Toma Arthur, esto es para empezar —dijo Julio y, dirigiéndose a los demás, preguntó—: ¿Quién más tiene dinero?

—Yo ya me gasté mi dinero de la semana —contestó Sara Jane Cushman—. Además las niñas hoy no jugamos al fútbol.

—Eso no es lo que importa —contestó Julio—. Arthur es nuestro compañero y debemos ayudarlo.

Lucas le entregó a Arthur una moneda de diez centavos y dos de veinticinco centavos. Aun sin sus lentes, Arthur se dio cuenta de que sólo tenía 87 centavos. Eso no alcanzaba ni para comprar los tornillitos de la montura.

La maestra que estaba supervisando el recreo se acercó para ver qué estaba pasando.— ¿Alguien se hizo daño? —preguntó.

—Se rompieron los lentes —contestó Julio. En eso sonó la campana para regresar a los salones. Julio y Arthur caminaron a su salón juntos.—Todo se va arreglar —le dijo—. Ya conseguiremos el dinero. Dile a tu mamá que no se preocupe. Sólo va a tomar un poco más de tiempo.

—Yo espero que no sea mucho tiempo porque sin mis lentes casi no puedo ver —se quejó Arthur.

—Yo seré tu "niño guía" —le dijo Julio, llevándolo hasta su asiento.

—A Arthur se le rompieron los lentes —dijo

Cricket cuando todos estaban sentados.

—Fue Kevin Shea —dijo Sara Jane—. Él fue quien pateó el balón y cayó sobre los lentes de Arthur.

Todos empezaron a hablar al mismo tiempo, tratando de explicar lo que había pasado. Finalmente, el Sr. Flores se hizo una idea de lo ocurrido.

—Entre todos, vamos a hacer una colecta para comprarle lentes nuevos a Arthur —dijo Julio—. Tenemos que conseguir el dinero.

El Sr. Flores miró a Julio y dijo: —Ésa es una buena idea. ¿Alguna sugerencia?

—Podríamos montar una obra de teatro y cobrar la entrada —dijo Lucas.

—Un proyecto como ése tomaría mucho tiempo —dijo el maestro—. Si vamos a pagar por los lentes de Arthur, tenemos que hacer algo pronto.

—Ya sé —dijo Cricket—. Podríamos organizar una venta de galletas y panecillos. Mi mamá me enseñó a hacer galletas de chocolate. Si cada uno trae algo, podemos tener una gran venta. ¡Podemos hacerlo mañana!

—Yo puedo hacer bizcochos —dijo Sara Jane.

—Mi mamá hace las mejores galletas de mantequilla de maní —dijo Lucas—. Estoy seguro de que me ayudará a hornear unas cuantas.

En un momento todos habían dado sugerencias de lo que iban a llevar. Julio nunca había horneado nada en su vida y sabía que su mamá llegaba demasiado cansada del trabajo como para ponerse a hacer galletas o bizcochos.

—¿Y tú Julio, que vas a traer? —dijo Cricket. Estaba haciendo una lista de las cosas que cada cual iba a llevar.—Ya tenemos bizcochos y dos clases de galletas. Debemos traer cosas variadas, en lugar de todos traer lo mismo.

Julio contestó sin pensar: —*Brownies*, con muchas nueces.

—Muy bien —dijo Cricket, tomando nota.

—Me parece que mañana es demasiado pronto para nuestra venta —dijo el Sr. Flores, mientras los alumnos seguían con los preparativos—. Hagamos la venta el viernes. Podemos hacer carteles para anunciarla y así lo estudiantes traerán dinero extra para comprar.

Arthur Lewis se pasó la tarde como en una nube. No podía concentrarse, pensando en lo que su mamá iba a decir cuando viera los lentes rotos.

Julio Sánchez también estuvo medio despistado el resto de la tarde. De alguna manera, tenía que ingeniárselas para hacer los *brownies* con nueces. Una nuez es lo que debía tener por cerebro para haberse metido en ese lío.

★ 4 ★
EL NIÑO GUIA

Al salir de la escuela, Julio y Lucas, como siempre, se hicieron compañía hasta llegar al punto donde el camino a sus respectivas casas se dividía. —Te veo mañana —dijo Lucas.
Julio se puso la mochila en el otro hombro y siguió caminando y pensando qué otras cosas, además de chocolate, necesitaría para hacer los *brownies*: ¿leche?, ¿huevos?, ¿azúcar?, nueces.

Al llegar a la esquina, vio a un niño sentado en el borde de la acera: era Arthur Lewis.

—Oye, Arthur —lo llamó Julio—. ¿Qué estás

haciendo aquí? Tú siempre tomas el autobús, ¿no?

—Sin mis lentes, no pude ver el número de los autobuses así que no lo tomé —dijo Arthur—. Probablemente me atropellará un carro antes de que pueda llegar a casa —añadió con un suspiro—. De todas formas, no quiero regresar a casa. Mi mamá se va a poner furiosa.

—No te preocupes —Julio trató de consolarlo—, dile que nuestra clase va a conseguir dinero para comprarte lentes nuevos.

—Díselo tú —respondió Arthur—. Por lo menos a ti no te va a regañar.

—¿Por qué va a regañarte? No rompiste los lentes a propósito.

—Sí, pero ya sabes como son las mamás, siempre tienen que gritar —dijo Arthur.

Julio pensó que Arthur estaba exagerando. Su mamá rara vez gritaba, pero cuando le decía que terminara la tarea antes de sentarse a ver televisión, él sabía que lo decía en serio.

—Por favor, acompáñame a casa —dijo Arthur—. Tú dijiste que serías mi "niño guía".

—Está bien —Julio aceptó. Ésta era la primera vez que Arthur invitaba a Julio a su casa. —Bueno, vámonos. Si de costumbre tomas el autobús, va a ser una larga caminata — dijo Julio.

—Tú eres un amigo de verdad —dijo Arthur.

Los dos chicos se pusieron en marcha. Por el camino, Arthur le contó qué pensaba comprar con su millón de dólares. Algunas cosas no se le habían ocurrido a Julio, como una entrada para todos los partidos de fútbol americano y una piscina para el patio.

En mi casa no hay patio, así que no puedo comprar una piscina —dijo Julio—. ¿Me dejas nadar en la tuya?

—Por supuesto —contestó Arthur—. También puedes ir a los partidos conmigo.

Todo sonaba de maravilla hasta que Julio se acordó que era dinero de mentira.

Julio encontró un paquete de chicle en el bosillo. —¿Quieres? —le ofreció a Arthur.

Arthur dijo que no con la cabeza. —Mi mamá no me deja comer chicle. Dice que es malo para los dientes.

Julio se pasó la lengua por los dientes. Le pareció que todos estaban sanos y en su lugar, así que siguió mascando chicle.

—¿Sabes qué? —dijo Arthur—. Tú serías un buen presidente.

—¿Yo? —dijo Julio sorprendido, mientras se preguntaba a sí mismo: "¿Cómo habrá adivinado Arthur que, en secreto, quisiera ser presidente?" —Eso es una locura —dijo Julio finalmente.

—De verdad, Julio. Yo votaría por ti. Estoy seguro de que muchos otros también lo harían. Tú siempre has sido justo y eres chévere con todo el mundo. Siempre me escoges para tu equipo, aunque sabes que soy terrible para los deportes.

Julio pensó en lo que Arthur acababa de decir. Se preguntaba si alguien más estaría de acuerdo con Arthur, además de su mamá, por supuesto. Ella no contaba porque no podía votar.

Cuando llegaron a casa de Arthur, la Sra. Lewis estaba afuera esperando. —¿Dónde has estado metido? —le preguntó a su hijo—. Hace media hora que pasó el autobús; ya me estaba empezando a preocupar.

—Mamá, éste es mi amigo Julio —dijo Arthur, pero su mamá inmediatamente lo interrumpió.

—¿Arthur, dónde están tus lentes? ¿Tuviste un accidente? —preguntó su mamá.

—Arthur se cayó jugando al fútbol, durante el recreo —Julio le explicó—. No se hizo daño pero se le cayeron los lentes y el balón rebotó justo encima de ellos.

—Pero si hace apenas una semana que le compré esos lentes —dijo la Sra. Lewis—, y ya están rotos.

—Fue un accidente —dijo Julio.

—¿Qué hacías jugando al fútbol? ¿Es que no puedes encontrar algo más reposado que hacer durante el recreo? —le preguntó la Sra. Lewis a Arthur—. Te pudo dar un dolor de estómago o pudiste romperte una pierna. Yo nunca en mi vida he jugado al fútbol; no entiendo porqué tienes que hacer algo así.

—Ay, mami —dijo Arthur—, todos los niños juegan al fútbol.

—Pero Sra. Lewis, a Arthur no se le rompió una pierna ni le dio dolor de estómago —dijo Julio—. Nuestra clase va a hacer una venta para comprarle un par de lentes nuevos. ¿Ya ve? No tiene de qué preocuparse.

La Sra. Lewis se dirigió a Julio: —¿Y tú quién eres?

—Me llamo Julio, Julio Sánchez. Arthur y yo estamos en la misma clase desde hace muchos años. Lo conozco desde antes de que empezara a usar lentes.

—Mucho gusto, Julio —dijo la Sra. Lewis—. Fue muy amable de tu parte acompañar a Arthur hasta la casa. Entren, voy a prepararles algo para merendar.

La mamá de Arthur abrió la puerta. En la cocina algo olía rico. Julio no reconoció qué era, pero de todas formas le gustaba el olor.

—Niños, lávense las manos.

Julio por poco dice que no tenía las manos sucias, pero pensó que era mejor quedarse callado. No quería hacer enojar a la Sra. Lewis. Julio siguió a Arthur hasta el baño. Todo era azul y blanco: las baldosas eran azules y blancas, el lavabo era azul y hasta el inodoro era azul. El papel higiénico tenía diseños en azul y blanco. El jabón era azul y las toallas eran a rayas de los mismos colores. Julio escupió el chicle al inodoro y tiró de la cadena.

En la cocina, la Sra. Lewis había servido dos

vasos de leche y un plato de galletas. —Dos para cada uno —dijo—. No quiero que se llenen antes de la cena.

Julio mordió una de sus galletas. Era una galleta blandita de avena con pasas, mil veces mejor que las que servían en la escuela.

—Qué ricas —le dijo Julio a la Sra. Lewis—. Quizás usted podría hacer unas cuantas para la venta de la escuela.

—¿Cuándo es la venta? —preguntó ella.

—El viernes —contestó Arthur. Hasta entonces, puedo usar mis lentes viejos.

—Y nada de fútbol —añadió su mamá. Arthur dijo que sí con la cabeza.

Cuando terminaron la merienda, Arthur llevó a su amigo a su dormitorio. Era un cuarto grande y en todas las paredes había estantes llenos de juegos y juguetes.

Julio pensó que Arthur no necesitaba un millón de dólares. Ya tenía un montón de cosas.

—Mira esto —dijo Arthur, enseñándole un viejo reloj de cocina—. Las manecillas dicen que es la 1:15. Julio no tenía reloj pero sabía que eran más de las cuatro.

—Ésa no es la hora —dijo Julio.

—Mira otra vez —dijo Arthur.

—¡El minutero se está moviendo *al revés*! —dijo Julio sorprendido.

—Exactamente —dijo Arthur—. Es estupendo, ¿no crees? Un día se dañó y empezó a caminar para atrás. Mi mamá lo iba a tirar a la basura pero yo se lo pedí. Los demás relojes del mundo van en dirección contraria al mío.

—Tu reloj camina para atrás —dijo Julio.

—Exactamente —respondió Arthur —. A veces me gustan las cosas que son distintas a las demás.

Julio echó una mirada alrededor de la habitación. La colcha hacía juego con las cortinas y la alfombra. Había juguetes por todas partes, pero a Arthur lo que más le gustaba era su viejo reloj. Julio pensó en algo que su abuela solía decir en español: "Para que el mundo sea mundo, hace falta toda clase de gente".

Julio se quedó con Arthur hasta que el reloj que caminaba al revés marcó la una menos cuarto. Entonces comenzó a caminar lentamente hacia su casa pensando que Arthur era un chico curioso. Probablemente por eso le había dicho que se postulara para presidente.

★ 5 ★
UNA MELCOCHA PEGAJOSA

Cuando Julio llegó a su casa, Nelson estaba en la cocina cortando vegetales para la cena.

—¿Tú sabes hacer *brownies?* —le preguntó Julio—. Ofrecí llevar unos para una venta que vamos a tener en la escuela, pero yo no sé hacerlos.

Nelson se encogió de hombros: —En la tienda venden mezcla ya preparada —le dijo—. Todo lo que necesitas está en la caja; también trae las instrucciones.

—¡Perfecto! —dijo Julio, quitándose un peso

de encima. Si todos los ingredientes venían en una caja, probablemente no sería demasiado difícil hacer los *brownies*. Julio se puso más contento todavía cuando convenció a Nelson de que le prestara cinco dólares para comprar la mezcla.

Julio le había dado todo su dinero a Arthur, pero aunque no lo hubiera hecho, dudaba mucho que 27 centavos alcanzaran para comprar lo que necesitaba.

—Te pago el préstamo pronto —le prometió Julio a Nelson.

—Sí, seguro —dijo Nelson sonriendo—. Pónmelo en la guantera del carro que me vas a comprar con tu millón de dólares.

En la tienda, Julio observó la larga fila de anaqueles con mezclas para hacer bizcochos, galletas, pan de gengibre y otro montón de postres. Los dibujos de las cajas parecían una delicia. Julio cogió tres marcas distintas de *brownies* y las estudió detenidamente. Finalmente, escogió la caja que tenía el mejor dibujo, aunque costaba 20 centavos más que las otras. También decidió comprar dos cajas para hacer doble cantidad.

Después de la cena, Julio le mostró a su mamá lo que había comprado. —¿Me ayudas a hacer los *brownies?* —le preguntó.

La Sra. Sánchez leyó las instrucciones y le dijo: —Es fácil, sólo tienes que añadir un par de ingredientes a la mezcla y hornearla.

—¿Podemos hacerlo ahora? —preguntó Julio—. Los tengo que llevar a la escuela el viernes.

—Hoy es martes —dijo la Sra. Sánchez—. Si los horneamos ahora, de seguro que para el viernes los *brownies* van a estar duros y viejos.

—Para el viernes habrán *desaparecido* —dijo la abuela en español.

"Puede que tenga razón. Sería terrible si hiciéramos los *brownies* esta noche y desaparecieran antes del viernes" —pensó Julio.

—Está bien —dijo—. Los haremos el jueves por la noche.

El almuerzo del miércoles era tacos con queso y lechuga, maíz con mantequilla y frijoles al horno. El jueves servían pollo frito al horno, puré de papas y habichuelas tiernas. Era una delicia después de un verano de emparedados de mantequilla de maní. Todos estaban ansiosos de que llegara el día de la venta. Cricket y Zoe hicieron carteles de colores en la casa y los trajeron a la escuela para anunciar la venta. De hecho, Cricket estaba tan entusiasmada con la venta que ni mencionó las elecciones. Aun así, después del almuerzo repartió unas chocolatinas en miniatura entre sus compañeros de clase. Julio estaba seguro de que Cricket los estaba sobornando para que votaran por ella.

Arthur Lewis hoy llevaba sus lentes viejos. Aunque sus papás estaban disgustados porque se le rompieron los lentes nuevos el segundo día de clases, Arthur se sentía importante. Después de todo, gracias a él iban a hacer una venta.

La noche del jueves, después de cenar, Julio fue a buscar las cajas con la mezcla para hacer *brownies*. —¿Me ayudas? —le preguntó a su mamá.

La Sra. Sánchez, que acababa de sentarse en el sofá le dijo: —Ay Julio, tengo un dolor de cabeza terrible. Pídele a tu hermano que te ayude. Si algo sale mal, avísenme.

Ramón estaba en clase esa noche pero a Nelson le dio mucho gusto posponer su tarea de álgebra. —La verdad es que tu tarea es más divertida que la mía —dijo Nelson mientras leía las instrucciones de la caja.

Julio abrió uno de los paquetes y lo único que encontró fue un polvo de color café oscuro. Julio pensó: "Espero que no me hayan engañado".

—Esto no tiene pinta de *brownies* —dijo Julio.

—Por supuesto que no. A la mezcla hay que añadirle dos huevos, agua y aceite —dijo Nelson.

—Tenemos dos paquetes de mezcla, así que necesitamos cuatro huevos —dijo Julio, buscándolos en el refrigerador.

Nelson sacó un recipiente grande de la alacena y entre los dos empezaron a cascar los huevos. Luego echaron el polvo de la caja en el recipiente. Julio comenzó a mezclar el polvo con los huevos y Nelson echó en una taza de medir la cantidad de agua y aceite que decía en las instrucciones.

Julio y Nelson se turnaron para mezclar aquella melcocha pegajosa. Julio dio una probadita con el dedo.

—Oye —dijo Julio de pronto—. ¿Dónde

están las nueces?

—¿Para qué necesitas nueces? —le preguntó Nelson.

Julio buscó dentro de las cajas vacías. —A mí me gustan los *brownies* con nueces. Además, les prometí a todos que mis *brownies* tendrían nueces.

—Pues ve a comprarlas, todavía hay tiempo —dijo Nelson. Le dio dos dólares más y Julio salió corriendo a la tienda. Veinte minutos más tarde, regresó a la casa con una bolsa de celofán llena de nueces.

—¿Por qué compraste nueces con cáscara? —preguntó Nelson.

—Todas las nueces tienen cáscara —le contestó Julio.

—Qué bobo eres —le dijo Nelson—. Las puedes comprar ya descascaradas. Ahora vamos a tener que abrirlas una por una.

Julio buscó algo pesado con qué abrir las nueces.

Julio sacó una cacerola de la alacena y Nelson otra. Después, pusieron todas las nueces en el suelo y comenzaron a darles golpes con las cacerolas. —Nunca me imaginé que las ardillas trabajaran tanto —dijo Nelson en tono de queja.

La Sra. Sánchez fue a la cocina a ver qué estaba pasando. —Esto no es buena cura para el dolor de cabeza —les dijo molesta.

En ese momento, se oyeron golpes en la puerta. Parecían un eco del ruido de la cocina. Julio fue a ver y al otro lado de la mirilla de la puerta estaba el Sr. Findley, el vecino del piso de abajo. —¿Sucede algo? —preguntó el anciano cuando Julio abrió la puerta.

—No —dijo Julio—. No pasa nada.

—Es que oí unos golpes fuertes y pensé que algo andaba mal.

La mamá de Julio se acercó a la puerta y lo invitó a que pasara a tomar una taza de té.

Por fin, después de media hora de golpear las nueces y golpearse los dedos, tenían un montoncito de trozos de nueces. Nelson las mezcló con el resto de la masa en el recipiente. —Por fin, terminamos —dijo Nelson—. Esto es tan difícil como mi tarea de álgebra; quizás más difícil.

—Pero todavía no parecen *brownies* —dijo Julio, protestando.

—Pues claro que no, todavía no hemos horneado la masa —le dijo Nelson.

La caja decía que había que calentar el horno a una temperatura de 350 grados Fahrenheit. Julio echó la melcocha en un molde de hornear y Nelson metió el molde en el horno.

—Son las ocho y cuarto —dijo Nelson—. Estáte pendiente del reloj y avísame cuando sean las nueve menos cuarto. Mientras tanto, voy a descansar de esto haciendo mi tarea de álgebra.

Julio se sentó a la mesa de la cocina y miró el reloj: 29 minutos más y ¡listo! Con el dedo, le dio otra probadita a la masa que quedaba en el borde del recipiente. Entonces cogió una de las cajas vacías y se puso a leer las instrucciones una vez más.

Aparentemente, lo habían hecho todo bien. Julio se dio cuenta de que en letras muy pequeñitas decía: "Opcional: se pueden añadir nueces". La foto de la caja mostraba *brownies* con nueces. A Julio eso no le pareció honesto porque la mezcla no tenía las nueces.

Julio volvió a leer las instrucciones. La caja decía: "En un molde engrasado hornee la mezcla durante 30 minutos".

—¡Nelson! —gritó Julio corriendo a la habitación donde Nelson estaba haciendo su tarea y, al mismo tiempo, escuchando música rock a todo volumen. —¿Engrasamos el molde?

Nelson soltó el lápiz y fue corriendo a la sala para preguntarle a su mamá. Julio corrió detrás de su hermano. —¿Hicimos algo mal? —preguntó.

La Sra. Sánchez se lanzó a la cocina, cogió una agarradera y sacó el molde del horno. La mezcla todavía era una masa líquida y pegajosa. —Dame un recipiente —le dijo a Julio.

Julio sacó del fregadero el recipiente que habían usado para mezclar los ingredientes y la Sra. Sánchez vació ahí la mezcla del molde. La abuela y el Sr. Findley fueron a la cocina a ver qué estaba pasando.

—Si no se engrasa el molde, la mezcla se pega y luego no hay quién saque los *brownies* —les explicó la Sra. Sánchez.

Después de echar la mezcla en el recipiente, la Sra. Sánchez lavó bien el molde.

—¿Qué estás haciendo? —preguntó Julio preocupado. Parecía como si estuvieran haciendo todo al revés. ¡Acabarían sacando las nueces de la mezcla para meterlas dentro de las cáscaras otra vez!

—Saca la margarina del refrigerador— dijo la Sra. Sánchez.

Julio puso media barra sobre la mesa. La Sra. Sánchez le dio el molde a Nelson para que lo secara con la toallita de cocina. Después, cogió un pedazo de margarina y con un pedacito de papel toalla, comenzó a untarlo en el fondo del molde. —Así se engrasa un molde —explicó.

—Eso no se aprende en la escuela —dijo Nelson.

—¿Van a quedar bien los *brownies*? —preguntó Julio.

—A mí me parece que huelen perfectamente bien —dijo el Sr. Findley.

Nelson echó la mezcla en el molde por segunda vez y la metió al horno. Julio miró el reloj: eran las nueve menos cuarto.

A eso de las nueve, ya empezaba a oler a *brownies* por todo el apartamento. A las nueve y cuarto en punto, Nelson abrió la puerta del horno y sacó el molde. Los *brownies* tenían muy buena apariencia y olían mejor todavía. La abuela, la Sra. Sánchez y el Sr. Findley volvieron a la cocina.

"Espero que no quieran probar los *brownies*", pensó Julio. Si a todos se les antojaba probarlos, no iba a quedar ninguno para vender en la escuela. Sin embargo, cuando se enfriaron, Nelson lo ayudó a cortar los *brownies* en cuadrados pequeños y los demás sólo se comieron las migajas que quedaron.

—¡Quedaron perfectos! —dijo Julio echándose a la boca una de las migajas más grandes. —¡Hice *brownies*, de verdad!

—¿*Tú* hiciste *brownies*? —dijo Nelson dándole un codazo—. ¿Y yo qué?

—Bueno, hicimos *brownies* —dijo Julio, correctamente esta vez—. ¿Te alegras de que te dejara ayudarme a hacer mi tarea?

★ 6 ★
UN CHICO MUY LISTO

El viernes de la primera semana de clases fue la venta. Todos llevaron bolsas y cajas llenas de galletas, bizcochos y pastelitos, y las pusieron en una mesa larga que había en el salón de clases. El olor a chocolate, maní y canela fue llenando el aire en las clases de aritmética y estudios sociales. Julio se la pasó mirando su caja de *brownies* para ver si seguía ahí.

El Sr. Flores también llevó algo a la escuela: una guitarra.

—¿Usted sabe tocar la guitarra? —preguntó

Arthur Lewis completamente sorprendido.

El Sr. Flores dijo que sí con la cabeza.

Cuando ellos estaban en kinder, la maestra solía tocar melodías en el piano; pero de eso, hacía mucho tiempo. La única persona que sabía tocar instrumentos en la escuela era la Sra. Guinn, y ella sólo iba una vez cada dos semanas a darles clase de música. La Sra. Guinn les enseñaba canciones infantiles y apreciación musical, pero el salón de música era el único lugar de la escuela donde oían música.

—¿Nos va a tocar una canción? —preguntó Zoe.

—Esta tarde —le respondió el Sr. Flores—. Todos los viernes por la tarde vamos a cantar música folklórica.

Julio no sabía qué era la música folklórica pero de todas formas aquello sonaba mucho más divertido que la aritmética o los estudios sociales. Quizás el Sr. Flores también sabía algunas canciones de rock.

El almuerzo del viernes era emparedado de pescado, ensalada de repollo y rodajas de naranja.

—¡Qué asco! —dijo Arthur. Él siempre llevaba su propio almuerzo.

Julio mordió un bocado, fingió una arqueada y se hizo el desmayado. —Esta vez no me salvo —dijo con un gemido teatral.

A él en realidad sí le gustaban los emparedados de pescado, pero no quería que nadie lo supiera.

Después del almuerzo, Cricket y Zoe pusieron un cartel en la puerta del salón. Cricket se inventó el nombre "La galleta más rica", porque cerca de la escuela había una panadería que se llamaba "La galleta rica". Ya habían puesto otros carteles por toda la escuela y el Sr. Flores había hecho arreglos con otras maestras para que llevaran sus grupos a la venta. Julio pensó que iban a reunir mucho dinero, lo suficiente para comprarle lentes nuevos a Arthur.

A la 1:30 en punto, la Sra. Hockaday llegó al salón con su grupo de tercer grado. Julio pensó que parecían bebés. No podía creer que él fuera así de pequeño cuando estaba en tercero. Primero les tocaba a Arthur, Sara Jane y Zoe ser los vendedores.

—Muéstrales mis *brownies* —dijo Julio a

voces.

—Julio —dijo la Sra. Hockaday—, ya veo que todavía hablas a voces. Supongo que sigues siendo el mismo.

—Pues aquí sigo —dijo Julio sonriendo—, pero ésta es la primera vez que hago *brownies*.

La Sra. Hockaday pagó 15 centavos por su *brownie* y mordió un pedacito. —¡Está delicioso, Julio!

Después de eso, todos los alumnos de la Sra. Hockaday querían comprar los *brownies* de Julio.

—Por lo visto la Sra. Hockaday acaba de hacerte buena propaganda —le dijo Lucas a Julio—. Es lo mismo que cuando quieres un par de zapatos deportivos porque algún jugador famoso los anuncia por televisión.

Los alumnos del tercer grado estaban comprando todos los *brownies* y Julio deseó haber llevado más. Cuando le tocara vender, no iba a quedar ninguno.

El Sr. Flores abrió el estuche de la guitarra y comenzó a rasgar las cuerdas.

—Toque alguna canción que todos sepamos —dijo Julio.

El Sr. Flores comenzó a tocar *"She'll be coming 'round the mountain"*, y todos, hasta los alumnos de tercer grado, sin terminar de tragarse los *brownies* que tenían en la boca, cantaron con el resto del grupo.

Cuando el grupo de la Sra. Hockaday regresó a su salón, les tocó a Cricket, Lucas y Ann Crosby ser los vendedores. El Sr. Flores seguía tocando la guitarra y Julio estaba preocupado porque parecía que no iba a quedar nada para cuando llegara su turno.

—Ya tenemos tres dólares y setenta y cinco centavos —dijo Cricket, después de contar el dinero de la caja.

Otros grupos entraban y salían del salón. Algunas mamás también participaron en la venta. Lucas estaba sentado en su asiento y Julio era el encargado de ventas cuando llegaron la mamá y los hermanitos de Lucas.

—Uy, mira quién viene por ahí —dijo Julio en voz baja al ver llegar a los gemelos. Marcus y Marius tenían cuatro años de edad y eran famosos por sus travesuras.

—Hola, Julio —dijo Marcus o Marius, uno de los dos. A pesar de que Julio los conocía desde pequeñitos, nunca lograba diferenciar quién era Marcus y quién era Marius.

Uno de los dos, Marcus o Marius, cogió una galleta de chocolate.

—Oye, las galletas cuestan 10 centavos cada una —dijo Julio. Uno de los dos, Marcus o Marius, se echó la galleta entera a la boca. El otro agarró otra galleta.

—Sra. Cott, nos debe 20 centavos —dijo Julio. En eso Marcus o Marius, uno de los dos, se adueñó de otra galleta.

—Treinta, mejor dicho —añadió Julio.

En ese momento, Lucas se levantó de su asiento. Aunque la regla era que sólo podían levantarse cuando les llegara su turno de vender, la llegada de sus hermanitos era una excusa aceptable para levantarse. Su mamá de ninguna manera iba a poder controlar a los dos chiquillos a la vez; especialmente alrededor de una mesa llena de golosinas.

—Oye, Lucas —dijo Julio—, deja que coman lo que quieran. Así vendemos más.

La Sra. Cott sacó un dólar. —Pon siete galletas más en una bolsa y después nos vamos a casa —dijo con firmeza.

¡VENTA de GALLETAS y PANECILLOS!

Por suerte, Cricket había pensado en todo, hasta en llevar bolsas. Julio metió las siete galletas en una bolsita y puso el dólar en la caja. Ahora había unos cuantos billetes en la caja y un montón de monedas. "Ojalá que sea suficiente dinero para los lentes de Arthur", pensó para sí.

El Sr. Flores le dio la señal al próximo grupo de vendedores y Julio se dirigió hacia su asiento.

—Tengo sed —dijo uno de los gemelos, Marcus o Marius.

"Que lástima que no pensáramos en vender cartoncitos de leche", pensó Julio. Al parecer Cricket no había pensado en todo, al fin y al cabo.

—Ya tomarás algo cuando lleguemos a casa —le dijo la Sra. Cott a uno de los gemelos, Marcus o Marius.

—Quiero tomar algo ahora —dijo uno de los dos, Marcus o Marius.

—Yo los puedo llevar a la fuente —dijo Julio, volviéndose a su maestro. El Sr. Flores le dio permiso para salir del salón.

Julio tomó a los gemelos de la mano. Aunque tenían las manos pegajosas de galletas, caminar de la mano con los pequeños lo hizo sentirse muy mayor. Julio pensó que quizás así se sentían Nelson y Ramón al llevarlo de la mano cuando él era pequeño.

Julio les soltó la mano cuando llegaron a la fuente pero se dio cuenta de que la fuente era muy alta para los pequeños. Cerca del kinder había una fuente pequeñita. Debió llevarlos allí, pero no lo pensó a tiempo.

—Déjame ayudarte —le dijo Julio a Marcus o Marius, uno de los dos, levantándolo para que pudiera alcanzar el agua. —Aprieta el botón — le dijo.

Marcus o Marius, uno de los dos, apretó el botón y comenzó a tomar sorbos que se oían por todo el pasillo. Julio se acordó de que él hacía lo mismo cuando estaba en kinder. Para los pequeños, hacer ruido al tomar agua de la fuente era muy divertido.

—Ahora yo, ahora yo —dijo el otro gemelo.

Julio puso a Marcus o Marius, uno de los dos, en el suelo y levantó al otro. Los dos pesaban lo mismo, sus voces sonaban igual y ambos eran idénticos. "Pobre Lucas. ¿Cómo puede distinguir con quién está hablando?" pensó Julio.

—Tengo que hacer pipí —dijo el gemelo que estaba en el suelo.

El otro dejó de tomar agua y dijo: —Yo también.

Julio bajó a Marcus, o Marius, uno de los dos, de la fuente. —Está bien, vamos al baño —e inmediatamente se dirigió allá para evitar que tuvieran un accidente en medio del pasillo.

En el baño, Julio le bajó la cremallera a uno de los gemelos y esperó pero nada pasó.

—Yo pensé que tenías que ir al baño —dijo Julio.

—Ya no tengo que ir —le contestó Marcus o Marius, uno de los dos.

—¿Y tú? —dijo Julio dirigiéndose al otro gemelo. Mientras Julio estaba de espaldas, el pequeño se había trepado al lavamanos y, en un instante, se había echado un montón de jabón Líquido en el pelo.

—Deja eso —dijo Julio—. Yo creí que tenías que ir al baño.

—Ya no. Ahora me estoy dando un champú —le contestó Marcus o Marius, uno de los dos, con espuma por toda la cabeza.

—Yo también quiero champú —dijo el otro

gemelo.

—No —dijo Julio—, la escuela no es lugar para lavarse la cabeza. Nadie viene a la escuela a darse un champú.

El gemelo que no tenía espuma en la cabeza empezó a llorar.

—Déjame enjuagarte —le dijo Julio al otro, abriendo el grifo. La llave del agua fría era la única que funcionaba.

—Me metiste jabón en los ojos —dijo el niño llorando mientras Julio le enjuagaba los ojos con agua fría. Ahora los dos gemelos estaban llorando.

La puerta del baño se abrió. Era Lucas. —¿Qué está pasando aquí? —dijo al escuchar los chillidos de sus hermanos.

—Chico, tu mamá debe ser bien fuerte para poder controlar a estos dos al mismo tiempo —dijo Julio—. Los llevé a la fuente a tomar agua y me dijeron que tenían que ir al baño; y en un descuido, éste empezó a darse un champú. Me han dejado para el arrastre.

—¿Champú? Marius, tú odias que te laven la cabeza —dijo Lucas, secándole la cabeza con papel toalla.

—En la escuela sí me gusta darme champús —dijo Marius.

—¿Cómo sabes cuál es cuál? —preguntó Julio.

—Simplemente porque vivo con ellos día tras día —le contestó Lucas.

Julio y Lucas llevaron los gemelos de regreso al salón de clases. La Sra. Cott estaba hablando con la mamá de Cricket Kaufman. Mónica, la hermanita de Cricket, estaba de pie al lado de su mamá; parecía un angelito. De seguro que ella nunca cogería una galleta sin permiso ni se le ocurriría darse un champú en el baño de la escuela.

Julio le explicó a la Sra. Cott porqué uno de los gemelos tenía el pelo mojado. Julio tenía miedo de que la Sra. Cott se enfadara con él. Si ni tan siquiera podía llevar a dos chiquillos hasta la fuente sin causar problemas, qué clase de líder era él.

—No te preocupes, Julio. Tú debes ser un chico muy listo cuando pudiste lidiar con estos dos —dijo la Sra. Cott.

Para que no le diera frío camino a casa, la Sra. Cott le cubrió la cabeza al gemelo que tenía el

pelo mojado con la capucha de la sudadera.
Luego, cogió su bolsa de galletas y dijo adiós
con la mano al Sr. Flores y al resto de la clase.

Julio se sentó agotado en su asiento. Un momento más tarde, la mamá de Arthur Lewis se
apareció en el salón con una sonrisa de lado a
lado. En voz alta, para que todos pudieran es-
cucharla, le dijo al Sr. Flores que como los
lentes de Arthur se habían roto antes de
cumplir dos semanas de comprarlos, la óptica
los iba a reemplazar gratis.

—Así que, después de todo, no teníamos que
hacer la venta —dijo Cricket cuando la Sra.
Lewis se fue.

Todos empezaron a hablar a la vez.

El Sr. Flores tocó un fuerte acorde en la guitarra para que hicieran silencio.

—La venta fue divertida, ¿no? —dijo el Sr.
Flores.

—¿Pero qué vamos a hacer con el dinero? —
preguntó Cricket.

—Estoy seguro de que ya encontraremos algo
bueno en qué gastarlo antes de que se acabe el
curso —dijo el maestro.

—Podríamos hacer una fiesta —sugirió Sara

Jane.

—O podríamos donarlo a alguna sociedad benéfica —dijo Zoe.

—Existen montones de posibilidades y no es necesario que decidamos hoy mismo —dijo el Sr. Flores.

Al final del día, no quedaba ninguna golosina. Habían reunido diecisiete dólares con cuarenta centavos. El Sr. Flores se encargó de guardar el dinero.

—No se gaste todo el dinero en el fin de semana —le dijo Julio bromeando. Julio sabía que el Sr. Flores nunca haría una cosa así.

—Puedes confiar en mí —dijo el maestro, extendiéndole la mano.

Julio y el Sr. Flores se dieron la mano. Parecía que quinto grado iba a ser el mejor año de su vida, hasta ahora.

★ 7 ★
JULIO EN LA BOCA DEL LOBO

Al lunes siguiente, Arthur llegó a la escuela con sus lentes nuevos y Cricket con un cartel que decía: "Con su inteligencia, ¡Cricket a la presidencia!".

El viernes próximo serían las elecciones; sólo quedaban cuatro días para prepararse. Esa semana aprendieron el procedimiento para postular candidatos y apoyar las nominaciones. Estas elecciones eran cosa seria.

Durante el almuerzo, Cricket repartió chocolatinas entre sus compañeros de clase. Julio aceptó una e inmediatamente se la comió; pero eso no significaba que votaría por Cricket. Se preguntó qué cosa, mejor que chocolates, podría repartir Lucas. ¡Nada es mejor que el chocolate!

—Si vas a competir con Cricket, tenemos que poner manos a la obra —le dijo Julio a Lucas, camino a casa. A Julio eso de hacer carteles no se le daba tan bien como a Cricket y a Zoe. De todas formas, estaba dispuesto a hacer cualquier cosa para ayudar a su amigo.

A la mañana siguiente, un nuevo cartel apareció en el salón del Sr. Flores: "La *inteligencia* no es suficiente para la presidencia. Mejor voten por Lucas". El cartel era obra de Julio.

Antes del almuerzo, el Sr. Flores leyó un mensaje del director: "De ahora en adelante, no estará permitido jugar al fútbol durante el recreo".

—¿No podemos jugar al fútbol? —dijo Julio sin alzar la mano. —¿Por qué no?

—Les explicaré, si me lo permiten —dijo el Sr. Flores, mirando a Julio—. Al Sr. Herbertson le preocupa que puedan ocurrir otros accidentes durante el recreo. La semana pasada fueron los lentes de Arthur; la próxima vez alguien podría lastimarse.

Julio iba a hablar sin pedir permiso otra vez pero se acordó de levantar la mano, justo a tiempo.

—Sí, Julio —dijo el Sr. Flores.

—No es justo que no podamos jugar al fútbol porque alguien puede lastimarse. Alguien también puede caerse camino a la escuela, y no por eso dejamos de venir todos los días.

La intención de Julio no era hacerse el gracioso, pero todos se echaron a reír. Hasta el Sr. Flores sonrió.

—Estoy seguro de que hay otras cosas que ustedes pueden hacer durante el recreo —dijo el maestro—. ¿Sólo saben jugar al fútbol?

Lucas levantó la mano. —A mí no me gusta saltar a la cuerda —dijo cuando el maestro le dio permiso para hablar.

A las niñas eso les pareció muy gracioso.

—Podrían jugar *jacks* o algo así —dijo Cricket; pero nadie tomó esa sugerencia en serio.

—¿Sería posible hablar con el Sr. Herbertson para decirle que nosotros queremos jugar al fútbol? —preguntó Julio.

—Si eso es lo que quieren, pueden pedir una cita para hablar con él —dijo el Sr. Flores—. Es posible que cambie de parecer si lo convencen de que ustedes tienen la razón.

—Lucas y yo hablaremos con él —dijo Julio—. ¿Verdad, Lucas?

—Eee...claro —dijo Lucas, aunque no parecía muy convencido.

El Sr. Herbertson hablaba fuerte y sus ojos parecían penetrar a lo más hondo de uno. Julio siempre, desde kinder, le había tenido un poco de miedo al director. ¿Por qué tuvo que ofrecerse para ir a su oficina a hablar con él?

El Sr. Flores escribió una nota y envió a Julio y a Lucas a la oficina del director, pero estaba en una reunión.

—Pueden hablar con él esta tarde. Vengan a la una en punto —les dijo la secretaria.

Durante el almuerzo, Cricket repartió más chocolatinas pero esta vez les había pegado un papelito con la consigna de su campaña. "Cricket seguro se ha gastado toda su mensualidad en la campaña electoral", pensó Julio.

Un par de días más repartiendo chocolatinas

y seguro que todo el mundo votaría por Cricket.

Durante el recreo, las niñas estaban jugando a saltar a la cuerda. Julio pensó: "Uno puede caerse saltando a la cuerda también".

De regreso al salón de clases, Julio deseó tener un buen argumento para convencer al director. Le echó una mirada a Lucas y vio que no tenía muy buen semblante. Parecía como si le doliera el estómago o algo así.

Justo antes de la una, a Julio se le ocurrió una brillante idea. Como Cricket se la pasa diciendo que quiere ser abogada y siempre tiene respuestas para todo, hasta para las preguntas más difíciles, Julio pensó que Cricket sabría exactamente qué decirle al Sr. Herbertson. Julio levantó la mano.

—Sr. Flores, ¿puede ir Cricket con nosotros a la oficina del Sr. Hertberson? Como es candidata a presidenta, también debe hablar por su clase.

—¿Yo? —dijo Cricket— ¿A mí qué me importa si no podemos jugar al fútbol?

—Por supuesto —dijo Lucas para hacerla rabiar—. Tú no podrías patear un balón ni aunque lo tuvieras pegado a la punta del pie.

—Cricket —dijo el Sr. Flores—, aun cuando el fútbol no es importante para ti, para algunos de tus compañeros sí lo es. Si te eligen presidenta, serás la presidenta de toda la clase, no de las niñas solamente. Me parece que la reunión con el Sr. Herbertson sería una buena oportunidad para representar al grupo.

Y así fue que, a la una en punto, los tres niños —Julio, Lucas y Cricket Kaufman— bajaron a la oficina del director.

El Sr. Herbertson les indicó que se sentaran en las sillas que había frente a su escritorio. Cricket estaba tan pálida como Lucas. Quizás a ella también le dolía el estómago.

Julio esperó a que la futura primera Presidenta de los Estados Unidos dijera algo, pero Cricket no abrió la boca. Lucas hizo exactamente lo mismo que su compañera. Julio no sabía qué hacer; no podían seguir ahí sentados sin decir nada.

Julio respiró profundo; si ni Cricket ni Lucas iban a hablar, él iba a tener que hacerlo. Julio tomó la palabra:

—Estamos aquí para decirle que no es justo que no podamos jugar al fútbol sólo porque a

Arthur se le rompieron los lentes durante el recreo. Un accidente le puede ocurrir a cualquiera; Arthur pudo caerse en el autobús y romperse los lentes —Julio estaba sorprendido de oír la cantidad de palabras que salían tan fácilmente de su boca. Como nadie decía nada, continuó: —Además, una de las niñas podría caerse saltando a la cuerda y usted no ha dicho nada de que no se pueda saltar a la cuerda durante el recreo.

—Eso no se me había ocurrido —dijo el Sr. Herbertson.

Cricket preguntó sobresaltada: —¿Nos va a prohibir saltar a la cuerda?

—Yo no digo que deba prohibirle a las niñas saltar a la cuerda —aclaró Julio inmediatamente, y se detuvo un momento para pensar en un mejor ejemplo—. Su silla podría romperse mientras está sentado —dijo.

El Sr. Herbertson se enderezó en la silla. —Espero que no —dijo sonriendo—. Jovencito, ¿cómo se llama?

—Julio, Julio Sánchez —dijo Julio, pronunciando su nombre con la J en español.

—Tus hermanos estudiaron en esta escuela.

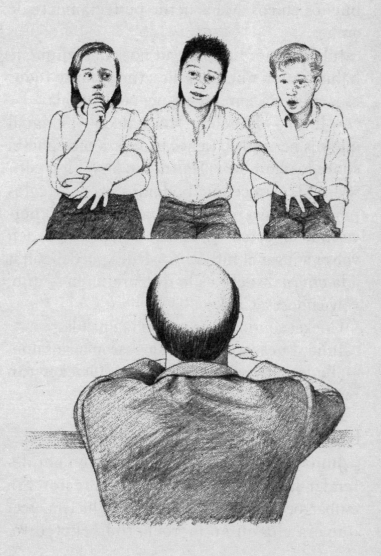

¿No es cierto? —preguntó el director—. Eran buenos chicos. Me acuerdo perfectamente de ambos.

Julio sonrió. En realidad no sabía porqué le había tenido miedo al director durante todos esos años; era como cualquier otra persona.

—Julio —dijo el Sr. Herbertson—, al igual que tus hermanos, tienes la cabeza bien puesta sobre los hombros. Has dicho algo bien pensado. Me parece que podemos hacer arreglos para que haya más personas mayores supervisando el recreo. Mañana, tus amigos pueden volver a jugar al fútbol. Y ustedes pueden saltar a la cuerda, si eso es lo que prefieren —dijo, volviéndose a Cricket.

Cricket sonrió; ya no estaba tan pálida.

Julio, Lucas y Cricket regresaron a su salón.

—Todo está arreglado —dijo Cricket tan pronto entraron.

La clase entera aplaudió.

—Bien hecho —dijo el Sr. Flores.

Julio estaba orgulloso de sí mismo por defender sus derechos delante del director. Sin embargo, no era justo que Cricket hiciera creer que era ella quien merecía todo el crédito.

Lucas tampoco hizo nada. Por un instante, Julio se arrepintió de ofrecerle a Lucas ser el director de su campaña y deseó ser candidato a presidente. Ahora Julio sabía que sí podía ser un buen líder.

★ *8* ★
LAS ELECCIONES

El día de las elecciones empezó mal porque Chris Willard no fue a la escuela. Como en la clase del Sr. Flores había doce niñas y doce niños, sin Chris habría más votos de niñas que de niños. Si todos los niños votaban por Lucas y las niñas por Cricket, habría un empate, pero como uno de los niños estaba ausente Lucas podía perder. Julio pensó: "Ojalá que Lucas no pierda por esa razón aun antes de las elecciones".

Más tarde, el Sr. Flores les comunicó que la

Asociación de Padres y Maestros estaba organizando una feria del libro en un par de semanas. Como tenían un poco más de diecisiete dólares, podrían comprar una colección de libros para hacer una biblioteca en el salón. A Cricket le pareció una magnífica idea, pero a Julio no tanto. Después de todo, la biblioteca de la escuela estaba a un par de escalones del salón de clases. ¿Por qué necesitaban más libros, especialmente libros que tendrían que comprar con su *propio* dinero?

Julio pensó que la clase debía llevar aquello a votación, pero antes de que pudiera decirlo en voz alta lo interrumpió la campana del almuerzo.

El almuerzo era croquetas de pollo, puré de papas, habichuelas tiernas y gelatina. Cricket y Zoe ni tocaron su almuerzo; él sabía que estaban hablando de las elecciones. Julio le dio una palmada en la espalda a Lucas. —Tú vas a ganar, mi amigo; estoy seguro —le dijo. En realidad, Julio no estaba tan seguro, pero le pareció que era su deber darle apoyo moral a su amigo. Después de todo, él fue quien convenció a Lucas de que se postulara para presidente.

Lucas se encogió de hombros, sin darle mucha importancia, aparentemente. —Quizás sí, quizás no —dijo Lucas. Aunque Lucas estaba actuando como si las elecciones no le importaran, Julio sabía que su amigo estaba más ansioso de lo que aparentaba porque él tampoco había probado bocado. Julio le echó mano al emparedado de tuna y a la naranja que Lucas llevó de almuerzo. —Necesito estar fuerte para votar por ti —le dijo.

Cricket seguía repartiendo chocolatinas. —¿Vas a votar por mí? —fue preguntando a uno por uno.

—Quizás sí, quizás no —le contestó Julio, aceptando una chocolatina.

Después del almuerzo, el Sr. Flores pidió silencio para empezar las elecciones. El maestro repasó las reglas parlamentarias, o sea, el método de llevar a cabo las reuniones de la junta directiva y otras reuniones importantes de la escuela.

—Pueden postular a cualquier compañero o compañera —dijo el Sr. Flores—, aunque esa persona no haya puesto carteles. Después, pueden dar un discurso a favor de la persona que postularon para convencer a los demás de que voten por él o ella. "Ay", pensó Julio. Él estaba preparado para postular a Lucas pero no sabía si podría dar un discurso; eso de hablar en público no se le daba tan bien como a Cricket o a Lucas.

Zoe Mitchell levantó la mano: —Yo postulo a Cricket Kaufman —dijo sin causar sorpresa en el grupo.

Julio se preguntó si quizás a Zoe también le hubiera gustado postularse para presidenta.

—¿Alguien apoya la postulación? —preguntó el Sr. Flores.

Julio pensó que aquello de las elecciones sonaba a programa de televisión; en la vida real la gente no hablaba así.

Sara Jane apoyó la postulación y el Sr. Flores escribió el nombre de Cricket en el pizarrón.

—¿Alguna otra postulación? —preguntó el maestro.

Sara Jane levantó la mano una vez más.

—¿A ver, Sara Jane? —preguntó el Sr. Flores.

—Ahora quiero postular a Zoe Mitchell.

—No puedes postular a alguien más después de apoyar la postulación de otra persona —dijo el Sr. Flores—. Esas son las reglas parlamentarias.

Cricket se sintió aliviada. Nunca pensó que tendría que competir con Zoe.

Julio levantó la mano y dijo: —Yo postulo a Lucas Cott.

—¿Alguien apoya la postulación? —volvió a preguntar el maestro.

—¿Puedo apoyarla yo mismo? —preguntó Lucas.

—Yo apoyo la postulación —dijo Anne Crosby desde el último asiento.

—¡Uy, a Anne le gusta Lucas! —dijo una de las niñas entre risas.

—No existe ninguna regla de que las niñas sólo puedan postular niñas y los niños tengan que postular niños —dijo el Sr. Flores mientras escribía el nombre de Lucas en el pizarrón—. ¿Alguna otra postulación?

Arthur Lewis levantó la mano y dijo: —Deseo postular a Julio Sánchez.

—¿Julio? —dijo Sara Jane entre risas—. Él sólo sirve para hacer el tonto.

—Un momento —dijo el Sr. Flores muy seriamente—. Ese comentario está fuera de orden, Sara Jane. ¿Alguien apoya la postulación?

Julio no podía creer que Arthur acabara de postularlo. A pesar de que una vez le dijo que debía ser presidente, Julio jamás pensó que Arthur lo diría delante de todo el grupo.

Cricket levantó la mano y se dirigió al grupo:

—Julio no puede ser presidente porque él nació en Puerto Rico y ni tan siquiera es ciudadano de los Estados Unidos. Para ser presidente, hay que ser ciudadano; eso lo estudiamos en la clase de estudios sociales.

—Ajá, y también hay que tener treinta y cinco años de edad. Debe ser que hace muchísimos años que no pasas de grado, Cricket —dijo Lucas.

—Un momento —dijo el Sr. Flores— ¿A quién estamos eligiendo, al Presidente de los Estados Unidos o a un presidente para quinto grado?

Cricket se sintió avergonzada. No tenía la costumbre de equivocarse.

Julio se puso de pie sin tan siquiera levantar la mano. A él no le importaba si lo elegían presidente o no, pero había algo que aclarar. —Yo sí soy ciudadano de los Estados Unidos —dijo—.

¡Todos los puertorriqueños somos ciudadanos estadounidenses!

Julio se sentó y Arthur volvió a levantar la mano. Julio pensó que Arthur iba a decir que había cambiado de parecer y ya no quería postularlo.

—¿Arthur? —dijo el maestro.

Arthur se levantó.

—El lugar donde Julio nació no es lo importante. Él sería un buen presidente para nuestra clase; es una persona justa y siempre está haciendo cosas buenas por los demás. Cuando se me rompieron los lentes, fue a él a quien se le ocurrió hablar con el director para que nos dejara jugar al fútbol durante el recreo. Eso nos demuestra que Julio sería un buen presidente.

—Pero Julio no es uno de los mejores estudiantes como Zoe, Lucas o como yo misma —dijo Cricket.

—Él es de lo mejor —dijo Arthur—. Para mí es el mejor.

Julio sintió que las orejas se le estaban poniendo rojas de la vergüenza. Jamás había oído a Arthur hablar tanto.

—Gracias, Arthur —dijo el Sr. Flores—.

Excelente discurso, pero todavía necesitamos a alguien que apoye la postulación. ¿Alguien dice "apoyo"?

Lucas levantó la mano.

—Yo apoyo la postulación de Julio Sánchez.

El Sr. Flores se volteó para escribir el nombre de Julio en el pizarrón. Lucas todavía tenía la mano levantada.

Cuando el maestro dio la vuelta, le volvió a ceder la palabra a Lucas.

—¿Quieres dar un discurso? —le preguntó el Sr. Flores.

—Sí —dijo Lucas—. Pienso votar por Julio Sánchez y creo que todo el mundo debe hacer lo mismo.

—¿No vas a votar por ti mismo, Lucas? —preguntó Cricket.

—No, y quiero borrar mi nombre del pizarrón. Julio es un buen líder, como bien dijo Arthur. Cuando fuimos a hablar con el Sr. Herbertson, Cricket y yo estábamos muertos del miedo; Julio fue quien sacó la cara y habló por todos nosotros.

—¿Quieres decir que te retiras de la candidatura? —preguntó el Sr. Flores.

—Sí. Todos los que pensaban votar por mí, deben votar por Julio.

Julio estaba inmóvil en su asiento. No podía decir palabra y casi ni podía respirar.

—¿Alguna otra postulación? —preguntó el Sr. Flores.

—Yo propongo que se cierren las postulaciones —dijo Zoe, levantando la mano.

—Apoyo la moción —dijo Lucas.

El Sr. Flores preguntó a los candidatos si deseaban dirigirse al grupo.

Cricket se puso de pie. —Como todos ustedes saben, algún día seré candidata a la presidencia de los Estados Unidos y ser presidenta de la clase me serviría de práctica. Además, estoy segura de que puedo ser una presidenta mucho mejor, muchísimo mejor, que Julio —dijo Cricket y se sentó.

Ahora era el turno de Julio. —Es posible que vote por Cricket cuando sea candidata a la presidencia de los Estados Unidos, pero por ahora —continuó—, espero que todos ustedes voten por mí. Yo creo que las decisiones de la clase deben tomarse en grupo. Por ejemplo, el dinero que reunimos en la venta debemos usarlo de una forma que nos guste a todos; el maestro no debe ser el único en tomar la decisión. —Julio miró al Sr. Flores—. Eso es lo que yo pienso.

—Si me eligen presidenta, mi idea es que donemos el dinero a la Sociedad Protectora de Animales —dijo Cricket.

—*Tú* tampoco debes decirnos qué hacer con el dinero —dijo Julio—. Esa decisión la debemos tomar entre todos porque todos ayudamos a conseguirlo.

—Julio tiene razón —dijo el Sr. Flores—. Supongo que más adelante podemos llevar este asunto a votación.

El Sr. Flores repartió las papeletas de votación. Julio estaba seguro de los resultados, antes de contarse los votos. Con un niño ausente, Cricket ganaría; 12 a 11.

Julio estaba en lo cierto en una cosa, pero no en la otra. Todos los niños votaron por él. ¡Pero también votaron por él algunas niñas! Luego se llevó a cabo el conteo de votos: 14 para Julio Sánchez y 9 para Cricket Kaufman. Julio había sido elegido presidente de su clase.

—Creo que ha sido una buena elección —dijo el Sr. Flores— y estoy seguro de que

Cricket va a ser una vicepresidenta excelente.

Julio estaba radiante de alegría. Ya se le estaban ocurriendo toda clase de planes para su grupo.

El Sr. Flores sacó la guitarra. Como había dicho anteriormente, acabarían la semana cantando todos los viernes. Julio nunca había sentido tantas ganas de cantar. Sin embargo, aunque estaba feliz cantando con el resto del grupo, estaba ansioso por llegar a casa para darle la gran noticia a su familia. ¡Lo contentos que se iban a poner cuando les dijera quién era el presidente de la clase. Julio, sí Julio con *J*.

A las tres de la tarde, Julio regresó a casa...a toda carrera.